Selections from Cervantes'

Don Quijote
de la Mancha

An adaptation for intermediate students

William T. Tardy

Illustrated by George Armstrong

National Textbook Company
a division of NTC/CONTEMPORARY PUBLISHING GROUP
Lincolnwood, Illinois USA

Published by National Textbook Company, a division of NTC Publishing Group.
© 1996, 1981, 1975 by NTC Publishing Group, 4255 West Touhy Avenue,
Lincolnwood (Chicago), Illinois 60646-1975 U.S.A.
Manufactured in the United States of America.
Library of Congress Catalog Card Number: 75-21658

890ML987654 3 2

Preface

Miguel de Cervantes Saavedra published the first volume of *El ingenioso hidalgo Don Quijote de la Mancha* in 1605 to poke fun at the popular literature of his time. His book was so well received—and imitated—that Cervantes wrote a second volume to finish the story. The two volumes together are recognized not only as one of the very first novels ever written, but also as one of the most widely read.

William T. Tardy's adaptation of the first chapters of *Don Quijote* brings "The Knight of the Sorrowful Countenance" and his squire, Sancho Panza, to the intermediate Spanish classroom. Cervantes's prose has been simplified without losing the flavor of the original. To make reading easier still, difficult vocabulary and structures are explained in the margins and collected in a glossary at the back of the book—no disrupting trips to the dictionary. Comprehension questions follow each short chapter to help students follow the action of the story and to serve as starting points for classroom discussion.

Students can listen to *Don Quijote de la Mancha,* too. A cassette recording is available from National Textbook Company: book and tape together make for an enjoyable classroom treat for teachers and students alike.

CAPITULO I

¿Quién era don Quijote?

En un lugar de la Mancha (España) vivía un hidalgo. °   **hidalgo** gentleman, nobleman

Tenía en su casa una ama ° que pasaba de los cuarenta años de edad y una sobrina que no llegaba ° a los veinte.   **ama** housekeeper   **no llegaba** was not yet

La edad de nuestro hidalgo frisaba ° con los cincuenta años. Era de complexión recia, ° seco de carnes, ° enjuto de rostro, ° gran madrugador, ° y amigo de la caza. °   **frisaba** bordered   **complexión recia** strong constitution   **seco de carnes** lean   **enjuto de rostro** thin faced   **madrugador** early riser   **caza** hunting

Tenía el sobrenombre de Quijada o Quisada. En esto hay alguna diferencia entre los autores que escriben de este caso. Pero esto importa poco a nuestro cuento.

Es de saber que este caballero, ° los ratos que estaba ocioso ° (que eran los más del año), se daba a leer libros de caballería ° con tanta afición que poco a poco perdía el juicio. °   **caballero** gentleman, knight   **ocioso** idle   **caballería** knight-errantry   **juicio** judgment, mind

En efecto, rematado ° ya su juicio, vino a dar en el más extraño pensamiento que jamás dio loco en el mundo.   **rematado** totally destroyed

Fue que le pareció convenible ° y necesario, así para el aumento ° de su honra como para el servicio de su patria, hacerse caballero andante. °   **convenible** appropriate   **aumento** increase   **caballero andante** knight errant

Pues debía irse por todo el mundo con sus armas y caballo a buscar aventuras, y a ejercitarse ° en todo   **ejercitarse en** to engage in

1

aquello que él había leído que los caballeros andantes se ejercitaban, deshaciendo° todo género de agravio.°

deshaciendo undoing
agravio wrong, offense

Preguntas

1. ¿Dónde vivía el hidalgo?
2. ¿Cuántos años tenía su ama?
3. ¿Cuántos años tenía su sobrina?
4. ¿Cuántos años tenía nuestro hidalgo?
5. Describa al hidalgo.
6. ¿Qué sobrenombre tenía?
7. Cuando estaba ocioso, ¿qué se daba a leer?
8. Con tanto leer, ¿qué perdía poco a poco?
9. ¿En qué pensamiento vino a dar?
10. Siendo caballero andante, ¿por dónde debía irse?
11. ¿Qué debía buscar?
12. ¿Qué debía deshacer?

Los preparativos que hizo para convertirse en caballero andante

Habiendo tomado la determinación de convertirse en caballero andante, se dio prisa° a poner en efeto lo que deseaba.

se dio prisa he hurried

Lo primero que hizo fue limpiar unas armas que habían sido de sus bisabuelos.° Después de limpiarlas, las reparó con cartón,° barras de hierro° y cintas.°

bisabuelos great-grandparents
cartón cardboard
hierro iron
cintas ribbons

Fue luego a ver su rocín,° animal viejo, flaco, feo y de poco valor, pero el que parecía a su amo° ser más valioso que el Bucéfalo de Alejandro Magno[1] o el Babieca del Cid.[2]

rocín nag
amo master

Cuatro días se le pasaron en imaginar qué nombre le pondría; porque (según se decía a sí mismo), no era razón que caballo de caballero tan famoso, y tan bueno él por sí, estuviese° sin nombre conocido.

estuviese should be

Al fin lo vino a llamar *Rocinante,* nombre, a su parecer,° alto, sonoro y significativo de lo que había sido cuando fue rocín.

a su parecer in his opinion

Puesto° nombre a su caballo, y tan a su gusto, quiso ponérselo a sí mismo. En este pensamiento gastó° ocho días, y al cabo vino a llamarse *don Quijote.*

puesto having given
gastó spent
al cabo finally

[1] Bucephalus, the famous horse of Alexander the Great
[2] Babieca, the famous horse of el Cid, the epic hero of Spain

Preguntas

1. ¿A qué se dio prisa don Quijote?
2. ¿Qué fue lo primero que hizo?
3. ¿De quiénes habían sido las armas?
4. ¿Con qué las reparó?
5. ¿Qué fue luego a ver?
6. Describa a su rocín.
7. ¿Cómo se llamó el caballo de Alejandro Magno?
8. ¿Cómo se llamó el caballo del Cid?
9. ¿Cuántos días se le pasaron al hidalgo en imaginar qué nombre poner a su rocín?
10. ¿Por qué quería darle nombre conocido?
11. Al fin, ¿qué vino a llamarlo?
12. ¿Cuántos días pasó en ponerse nombre a sí mismo?
13. Al cabo, ¿qué vino a llamarse?

La búsqueda de una dama de quien enamorarse

Pues, acordándose que el más célebre de los caballeros andantes, *Amadís* de Gaula, no sólo se había contentado con llamarse *Amadís* a secas,° sino que añadió el nombre de su patria, por hacerla famosa, y se llamó *Amadís de Gaula;* así quiso nuestro hidalgo, como buen caballero, añadir al suyo el nombre de su patria.

a secas simply, singly

Así se llamó don *Quijote de la Mancha,* con que, a su parecer, declaraba su linaje y patria, y honraba a ésta con tomar el sobrenombre de ella.

Limpiadas y reparadas, pues, sus armas, y puestos nombres a su rocín y a sí mismo, no le faltaba otra cosa sino buscar una dama° de quien enamorarse;° porque el caballero andante sin amores era árbol sin hojas° y sin fruta, y cuerpo sin alma.°

dama lady
enamorarse de to fall in love with
hojas leaves
alma soul

En un lugar cerca del suyo vivía una moza labradora de muy buen parecer, de quien un tiempo él anduvo enamorado, aunque ella jamás lo supo.

Se llamaba Aldonza Lorenzo, pero don Quijote determinó darle título de señora de sus pensamientos. Después de mucho pensar, vino a llamarla *Dulcinea del Toboso,* porque era natural del Toboso: nombre, a su parecer, músico y significativo, como todos los demás que a él y a sus cosas había puesto.

Preguntas

1. ¿Quién había sido el más célebre de los caballeros andantes?
2. ¿Por qué había añadido al suyo el nombre *de Gaula?*
3. ¿Qué quiso nuestro hidalgo añadir al nombre de *don Quijote?*
4. ¿Por qué?
5. Después de limpiar y reparar sus armas y poner nombres a su rocín y a sí mismo, ¿qué le faltaba hacer?
6. ¿Quién era árbol sin hojas y sin fruta, y cuerpo sin alma?
7. ¿Dónde vivía la moza labradora?
8. ¿Supo ella que él anduvo enamorado de ella?
9. ¿Cómo se llamaba la labradora?
10. ¿Qué vino a llamarla don Quijote?
11. ¿De qué lugar era ella?
12. ¿Qué nombres le parecían a don Quijote ser músicos y significativos?

CAPITULO II

Don Quijote hizo su primera salida

Hechos,° pues, estos preparativos, sin dar parte° a persona alguna de su intención y sin que nadie lo viese,° una mañana, antes del día, que era uno de los calurosos del mes de julio, se armó de todas sus armas, subió sobre Rocinante y salió al campo.°

Mas apenas se vio en el campo, cuando le asaltó° un pensamiento terrible. Fue que no era armado caballero y que, conforme a la ley de la caballería, no podía ni debía tomar armas con ningún caballero.

Este pensamiento lo hizo titubear° en su propósito° hasta que se propuso de hacerse armar caballero del primero que se topase,° a imitación de otros muchos que así lo hicieron, según él había leído en los libros de caballerías.

Don Quijote anduvo todo aquel día, y, al anochecer,° su rocín y él se hallaron cansados y muertos de hambre, cuando vio, no lejos del camino por donde iba, una venta,° que él creyó ser castillo.

hechos made, done
dar parte informing
viese seeing

campo country

asaltó came upon

titubear to hesitate
propósito purpose

se topase met with

anochecer dusk

venta inn

6

Preguntas

1. ¿Cuándo hizo don Quijote su primera salida?
2. ¿Quién lo vio salir?
3. ¿Cómo era el día?
4. ¿Qué hizo don Quijote antes de salir al campo?
5. ¿Qué pensamiento terrible lo asaltó?
6. ¿Por qué no debía tomar armas con ningún caballero?
7. ¿De quién se propuso de hacerse armar caballero?
8. ¿Cuánto tiempo anduvo don Quijote?
9. Al anochecer, ¿en qué condición estaban él y su rocín?
10. Cuando don Quijote vio la venta, ¿qué creyó que era?

Don Quijote se encontró con dos doncellas

Se dio prisa en caminar, y llegó a la venta a tiempo que anochecía.° anochecía it was getting dark

Dos mujeres feas y viles° estaban a la puerta de la venta. A don Quijote le parecieron dos hermosas doncellas° o dos graciosas damas. viles common doncellas maidens

Cuando las dos mozas vieron venir hacia ellas un hombre de aquella manera armado, y con lanza y adarga,° llenas de miedo se iban a entrar en la venta; pero don Quijote les dijo: adarga shield

—Non fuyan las vuestras mercedes, ni teman desaguisado alguno; ca a la orden de caballería que profeso non toca ni atañe facerle a ninguno; cuanto más a tan altas doncellas como vuestras presencias demuestran.[1]

Al oírse llamar «doncellas,» cosa tan fuera° de su profesión, no pudieron tener la risa,° y fue de manera que don Quijote vino a correrse y a decirles que no debían reírse de un caballero que quería servirlas. fuera distant tener la risa to keep from laughing

El lenguaje, no entendido de las señoras, y el mal talle° de nuestro caballero acrecentaban° en ellas la risa y en él el enojo,° y pasara muy adelante si a aquel punto no saliera el ventero,° hombre que, por ser muy gordo, era muy pacífico, quien dijo a don Quijote: talle appearance, figure acrecentaban increased enojo anger ventero innkeeper

—Si vuestra merced,° señor caballero, busca posada,° amén del° lecho° (porque en esta venta no hay ninguno), todo lo demás se hallará en mucha abundancia. vuestra merced usted, you posada lodging, shelter amén de besides lecho bed

---

[1] Non... demuestran: This language had long been archaic even in Don Quijote's time. It means: «Don't flee or fear any harm; for the order of knighthood which I profess does not permit that harm be done anyone; much less to such ladies of high degree as your looks indicate you to be.»

Preguntas

1. ¿Cuándo llegó a la venta?
2. ¿Quiénes estaban a la puerta de ella?
3. ¿Qué le parecieron ser a don Quijote?
4. ¿Por qué se pusieron llenas de miedo las dos mozas?
5. ¿Dónde iban a entrar?
6. ¿Quién les dijo que no tuviesen miedo?
7. ¿Por qué no pudieron tener la risa?
8. ¿Quién vino a correrse?
9. Según lo que les dijo don Quijote, ¿por qué no debían reírse de él?
10. ¿Entendieron las señoras el lenguaje del caballero?
11. ¿Qué acrecentaba en ellas?
12. ¿Qué acrecentaba en don Quijote?
13. ¿Quién salió de la venta entonces?
14. ¿Por qué era pacífico el ventero?
15. ¿Ofreció posada a don Quijote?
16. ¿Por qué no le ofreció cama?

Como don Quijote habló al ventero

LA CONSTANCIA
(Romance)

Mis arreos° son las armas,	**arreos** dress
mi descanso es pelear,	
mi cama las duras peñas,°	**peñas** rocks
mi dormir siempre velar.°	**velar** to watch
Las manidas° son escuras,°	**manidas** shelters **escuras** dark
los caminos por usar,	
el cielo con sus mudanzas°	**mudanzas** changes
ha por bien de me dañar,°	**dañar** to injure
andando de sierra° en sierra	**sierra** mountain
por orillas° de la mar,	**orillas** shores
por probar si en mi ventura	
hay lugar por donde avadar.°	**avadar** to ford
Pero por vos, mi señora,	
todo se ha de comportar.°	**comportar** to tolerate

Viendo don Quijote la humildad del alcaide° de la fortaleza, que tal le pareció a él el ventero y la venta, respondió:

—Para mí, señor castellano, cualquiera cosa basta,° porque mis arreos son las armas, mi descanso el pelear, etcétera.

El huésped° pensó que el haberlo llamado «castellano» había sido por haberle parecido de los hombres de Castilla, aunque él era andaluz y así, le respondió:

—Según eso, las camas de vuestra merced serán

alcaide governor

basta is enough

huésped host

duras peñas, y su dormir, siempre velar; y siendo así,
bien se puede apear,° con seguridad de hallar en esta
choza° ocasión y ocasiones para no dormir en todo un
año, cuanto más° en una noche.

apear to dismount
choza hut
cuanto más much less

Preguntas

1. ¿A don Quijote qué le pareció ser el ventero?
2. ¿Qué le respondió don Quijote?
3. ¿De qué romance tomó su respuesta?
4. ¿Por qué pensó el ventero que don Quijote lo había llamado «castellano»?
5. ¿Era castellano el ventero?
6. ¿Conocía *La constancia* el ventero?
7. ¿Le dijo a don Quijote que sería fácil o difícil dormir en su «choza»?

Como don Quijote cenó en la venta

Y diciendo esto, fue a tener el estribo° a don Quijote, el
cual se apeó con mucha dificultad.

estribo stirrup

Don Quijote dijo luego al huésped que le tuviese
mucho cuidado de su caballo, porque era la mejor
pieza° que comía pan en el mundo. El ventero lo miró, y
no le pareció tan bueno como don Quijote decía, ni aun
la mitad; y acomodándolo° en la caballeriza,° volvió a
ver lo que el caballero mandaba.

pieza animal

acomodándolo putting him
caballeriza stable

Entretanto las «doncellas,» que ya se habían reconciliado con don Quijote, estaban desarmándolo.° Le habían quitado el peto° y el espaldar,° pero no pudieron
quitarle la celada,° que estaba atada° con unas cintas
verdes, y era preciso cortarlas, por no poderse quitar los
nudos;° pero él no quiso consentir de ninguna manera, y
así, se quedó toda aquella noche con la celada puesta,°
que era la más graciosa y extraña figura que se pudiera
imaginar.

desarmándolo disarming him
peto breastplate
espaldar backpiece
celada helmet
atada tied

nudos knots
puesta in place, on

Las mozas le preguntaron si quería comer alguna
cosa, y don Quijote respondió que sí.

Aquel día acertó° a ser viernes, y no había en toda la
venta sino unas raciones de bacalao.°

acertó 'it happened
bacalao codfish

Le pusieron la mesa a la puerta de la venta, por el
fresco, y el ventero le trajo una porción del mal remojado°
y peor cocido° bacalao y un pan tan negro y mugriento°
como sus armas.

remojado water-soaked
cocido cooked
mugriento greasy, dirty

Era materia de gran risa verlo comer, porque, como
tenía puesta la celada y alzada° la visera,° no podía
poner nada en la boca con sus manos, y así, una de las
mozas le puso el alimento° en la boca.

alzada raised
visera visor

alimento food

9

Para darle de beber el ventero tuvo que conseguir una caña.° Puso un cabo° en la boca y por el otro echó° el vino.

caña cane
cabo end
echó poured

Don Quijote se quedó satisfecho con la cena, pero le fatigaba no verse armado caballero, por parecerle que no se podría poner legítimamente en aventura alguna sin recibir la orden de caballería.

Preguntas

1. ¿Por qué se apeó con mucha dificultad don Quijote?
2. ¿Cómo describió don Quijote a Rocinante?
3. ¿Cómo le pareció Rocinante al ventero?
4. ¿Dónde acomodó al caballo?
5. ¿Quiénes ya se habían reconciliado con don Quijote?
6. ¿A quién estaban desarmando las mozas cuando el ventero volvió de la caballeriza?
7. ¿Por qué no pudieron quitarle la celada?
8. ¿Cómo se quedó don Quijote toda aquella noche?
9. ¿Qué le preguntaron las mozas?
10. ¿Qué les respondió don Quijote?
11. ¿Por qué no había carne en la venta?
12. ¿Dónde pusieron la mesa?
13. ¿Por qué?
14. Describa el bacalao y el pan que el ventero trajo a don Quijote.
15. ¿Por qué no podía poner don Quijote nada en la boca con sus manos?
16. ¿Quién le puso el alimento en la boca?
17. ¿Qué bebió don Quijote?
18. ¿Cómo lo bebió?
19. ¿Se quedó satisfecho don Quijote con la cena?
20. ¿Qué le fatigaba?

CAPITULO III

Donde se cuenta las necesidades de un caballero andante

Y así, fatigado de este pensamiento, abrevió su limitada
cena; la cual acabada,° llamó al ventero y, encerrándo-
se° con él en la caballeriza, se hincó de rodillas° ante él,
diciéndole;

—No me levantaré jamás de donde estoy, valeroso
caballero, hasta que vuestra merced me prometa ar-
marme caballero mañana. Esta noche en la capilla° de
este castillo velaré° las armas, y mañana, como he
dicho, se cumplirá lo que tanto deseo, para que yo
pueda ir por todas las cuatro partes del mundo buscando
las aventuras en pro° de los menesterosos.°

El ventero, que era un poco socarrón° y ya tenía
algunos barruntos° de la falta de juicio de su huésped,
acabó de creerlo cuando le oyó decir esto, y, por tener
que reír aquella noche, determinó a seguirle el humor.

Le dijo a don Quijote que en el castillo no había
capilla alguna donde poder velar las armas, porque
estaba derribada° para hacerla de nuevo pero que en
caso de necesidad, él sabía que se podían velar dondequiera,° y que aquella noche las podría velar en un patio

acabada finished

encerrándose locking
himself

hincó de rodillas knelt

capilla chapel

velaré I will guard

en pro de in behalf of
menesterosos needy

socarrón sly, mischievous

barruntos inklings

derribada torn down

dondequiera anywhere

del castillo; que a la mañana se harían las ceremonias,
de manera que él quedase armado caballero.

El ventero le preguntó si traía dineros. Don Quijote le
respondió que no traía blanca,° porque él nunca había **blanca** money
leído en las historias de los caballeros andantes que
ninguno los hubiese traído.

A esto el ventero dijo que se engañaba,° que no se **se engañaba** was de-
escribía en las historias por haber parecido a los autores ceived
de ellas que no era menester° escribir una cosa tan clara **menester** necessary
y tan necesaria de traerse como eran dineros y camisas
limpias. El ventero le dijo también que casi todos los
caballeros andantes tenían escuderos° que llevaban los **escuderos** squires
dineros y las camisas limpias.

Preguntas

1. ¿Por qué abrevió su cena don Quijote?
2. ¿A quién llamó?
3. ¿Dónde se encerró con él?
4. ¿En qué posición se puso?
5. Según lo que don Quijote dijo al ventero, ¿cuándo se levantaría?
6. ¿Cuándo y dónde velaría las armas?
7. ¿Quién era un poco socarrón?
8. ¿Por qué determinó el ventero a seguirle el humor?
9. Según lo que le dijo el ventero, ¿por qué no había capilla en el castillo?
10. ¿Dónde podía don Quijote velar sus armas?
11. ¿Qué le preguntó el ventero?
12. ¿Qué respondió don Quijote?
13. ¿Por qué no traía dineros don Quijote?
14. ¿Qué dijo a esto el ventero?
15. Según el ventero, ¿quiénes llevaban los dineros y las camisas limpias de
     los caballeros andantes?

Donde don Quijote veló las armas

Don Quijote prometió al ventero que conseguiría las tres
cosas: escudero, dineros y camisas limpias.

Entonces hizo preparaciones para velar las armas en
un corral grande que estaba a un lado de la venta. Puso
sus armas sobre una pila° que estaba junto a un pozo,° **pila** trough
y, abrazando° su adarga, asió° de su lanza, y se co- **pozo** well
menzó a pasear delante de la pila; y cuando comenzó el **abrazando** embracing
paseo, comenzaba a cerrar la noche. **asió** seized

El ventero contó a todos cuantos estaban en la venta

12

la locura de su huésped, la vela de armas y la armazón° de caballería que esperaba. Acabó de cerrar la noche; pero con tanta claridad de la luna que cuanto el novel° caballero hacía era bien visto de todos.

armazón knighting

novel novice

Se le antojó° en esto a uno de los arrieros° que estaba en la venta ir a dar agua a su recua,° y fue menester quitar las armas de don Quijote, que estaban sobre la pila.

se le antojó it occurred
arrieros muleteers
recua herd

Don Quijote, soltando° la adarga, alzó° la lanza a dos manos y dio con ella tan gran golpe° al arriero en la cabeza, que lo derribó° en el suelo maltrecho.°

soltando dropping
alzó raised
golpe blow

derribó he knocked
maltrecho seriously hurt

Hecho esto, don Quijote recogió sus armas y volvió a pasearse como antes.

Dentro de poco, sin saberse lo que había pasado, otro arriero llegó con la misma intención de dar agua a sus mulos. Quitó las armas de la pila.

Don Quijote también lo derribó con la lanza.

Toda la gente de la venta acudió° al ruido, y entre ellos el ventero.

acudió went toward

Preguntas

1. ¿Qué prometió hacer don Quijote?
2. ¿Qué preparativos hizo?
3. ¿Dónde puso sus armas?
4. ¿Qué abrazó y qué asió?
5. ¿Por dónde se comenzó a pasear?
6. ¿Estaba clara u oscura aquella noche?
7. ¿Qué se le antojó a un arriero?
8. ¿Qué quitó de la pila?
9. ¿Qué le dio don Quijote al arriero?
10. Después de hacer esto, ¿qué hizo don Quijote?
11. Sin saberse lo que había pasado, ¿qué hizo otro arriero?
12. ¿Con qué lo derribó don Quijote?
13. ¿Quiénes acudieron al ruido?

El ventero decidió darle a don Quijote la negra orden de caballería

Los compañeros de los heridos° comenzaron desde lejos a llover piedras° sobre don Quijote, el cual, lo mejor que podía, se reparaba° con su adarga.

heridos wounded
llover piedras to throw stones, rocks
se reparaba warded off

El ventero daba voces° que lo dejasen, porque ya les había dicho como era loco, y que por loco se libraría, aunque los matase a todos.

daba voces shouted

Los arrieros dejaron de tirar° piedras y don Quijote *tirar* to throw
dejó retirar° a los heridos, y volvió a la vela de sus *retirar* to remove
armas.

Al ventero no le parecieron bien las burlas° de su *burlas* antics
huésped, y determinó abreviar y darle la negra orden de
caballería luego, antes de que otra desgracia sucediese.

Y así, llegándose a él, se disculpó de la insolencia que *se disculpó* apologized
aquella gente baja° con él había usado, sin que él *gente baja* scoundrels
supiese cosa alguna; pero que bien castigados quedaban
de su atrevimiento.° *atrevimiento* daring

Le dijo como ya le había dicho que en aquel castillo
no había capilla, y para lo que restaba° de hacer tam- *restaba* remained
poco era necesaria; que todo se podía hacer en medio de
un campo.

Don Quijote se lo creyó todo, y dijo que él estaba allí
pronto para obedecerlo y que concluyese con la mayor
brevedad posible, porque si fuese otra vez acometido° y *acometido* attacked
se viese armado caballero, no pensaba dejar persona
viva en el castillo, excepto aquéllas que él le mandase.

Preguntas

1. ¿Quiénes comenzaron a llover piedras sobre don Quijote?
2. ¿Qué hizo don Quijote?
3. ¿Qué voces daba el ventero?
4. ¿Quiénes dejaron de tirar piedras?
5. ¿Cuántos heridos había?
6. ¿Qué no pareció bien al ventero?
7. ¿Qué determinó hacer?
8. ¿De qué se disculpó a don Quijote?
9. Según el ventero, ¿quiénes quedaban bien castigados?
10. ¿Qué repitió acerca de la capilla?
11. Según el ventero, ¿dónde se podía hacer el resto de la ceremonia de armar caballero a don Quijote?
12. ¿Se lo creyó don Quijote?
13. ¿Qué respondió don Quijote?

La graciosa manera que tuvo don Quijote de armarse caballero

Medroso° de esto, el ventero trajo luego un libro donde *medroso* fearful
asentaba la paja y la cebada que daba a los arrieros, *asentaba* kept an account / *paja* straw
y con un cabo° de vela° que un muchacho traía, y con *cebada* barley
las dos ya dichas «doncellas,» se vino adonde don *cabo* piece / *vela* candle
Quijote estaba, al cual mandó hincar de rodillas; y,

leyendo en su manual (como que decía alguna devota oración), en mitad° de la oración alzó la mano y le dio sobre el cuello un buen golpe, y tras él, con su misma espada, un fuerte espaldarazo,° siempre murmurando entre dientes, como que rezaba.°

mitad   middle

espaldarazo   blow on the back
rezaba   was praying

Hecho esto, mandó a una de aquellas «damas» que le ciñese° la espada, la cual lo hizo con mucha discreción para no reventar de risa° a cada punto de las ceremonias; pero las proezas° que ya habían visto del novel caballero les tenía la risa a raya.° Al ceñirle la espada, la buena señora dijo:

ciñese   gird, put on
reventar de risa   to burst out laughing
proezas   deeds
a raya   restrained

—Dios haga a vuestra merced muy venturoso caballero y le dé ventura en lides.°

lides   conflicts

La otra «doncella» le calzó° la espuela.°

calzó   put on
espuela   spur

Hechas, pues, de prisa las, hasta allí, nunca vistas ceremonias, don Quijote ensilló° a Rocinante, subió en él y, abrazando al ventero, le agradeció por haberlo armado caballero.

ensilló   saddled

El ventero, por verlo ya fuera de la venta, lo dejó ir sin pedirle la costa de la posada.°

posada   lodging

Preguntas

1. ¿Qué libro trajo el ventero?
2. ¿Qué traía un muchacho?
3. ¿Qué otras personas vinieron adonde don Quijote estaba?
4. ¿Qué mandó el ventero que don Quijote hiciera?
5. ¿En qué leyó el ventero?
6. ¿Qué le dio a don Quijote sobre el cuello?
7. ¿Con qué le dio un fuerte espaldarazo?
8. ¿A quién mandó que le ciñese la espada?
9. ¿Cómo lo hizo la moza?
10. ¿Por qué lo hizo ella con tanta discreción?
11. Al ceñirle la espada, ¿qué dijo la señora a don Quijote?
12. ¿Quién le calzó la espuela?
13. Después de estas ceremonias, ¿qué ensilló don Quijote?
14. ¿A quién abrazó?
15. ¿Por qué lo dejó ir el ventero sin pedirle la costa de la posada?

CAPITULO IV

De lo que le sucedió a nuestro caballero cuando salió de la venta

Era el alba° cuando don Quijote salió de la venta, muy contento por verse ya armado caballero.

Mas viniéndole a la memoria los consejos° del «castellano» cerca de las prevenciones tan necesarias que había de llevar consigo, en especial la de los dineros y camisas, determinó volver a su casa y acomodarse° de todo, y de un escudero.

Hizo cuenta de recibir a un labrador vecino suyo, que era pobre y con hijos, pero muy a propósito° para el oficio escuderil de la caballería.

Con este pensamiento guió a Rocinante hacia su aldea,° el cual, reconociendo el camino, con tanta gana° comenzó a caminar, que parecía que no ponía los pies en el suelo.

No había andado mucho cuando oyó salir de un bosque° unas voces, como de persona que se quejaba.°

Volviendo las riendas,° encaminó° a Rocinante hacia donde las voces salían. Y a pocos pasos que entró por el bosque, vio una yegua° atada a una encina,° y atado

alba dawn

consejos advice

acomodarse to obtain

a propósito suitable

aldea village
gana desire

bosque forest
se quejaba was complaining
riendas reins
encaminó directed
yegua mare
encina oak tree

16

a otra a un muchacho, desnudo° de medio cuerpo **desnudo** bare
arriba, de quince años de edad, que era el que las voces
daba, y no sin causa, porque un labrador le estaba
dando muchos azotes° con una pretina.° **azotes** lashes
pretina belt

Preguntas

1. ¿Cuándo salió de la venta don Quijote?
2. ¿Por qué estaba muy contento?
3. ¿Qué consejos le vinieron a la memoria?
4. ¿Por qué determinó volver a su casa?
5. ¿A quién hizo cuenta de recibir de escudero?
6. ¿Adónde guió a Rocinante?
7. ¿Cómo comenzó a caminar Rocinante?
8. ¿Qué oyó don Quijote salir de un bosque?
9. ¿Por qué entró en el bosque?
10. ¿A qué vio atada a una encina?
11. ¿Quién estaba atado a otra encina?
12. ¿Cómo estaba vestido el muchacho?
13. ¿Cuántos años tenía?
14. ¿Por qué daba voces?

Como don Quijote defendió al muchacho

Y don Quijote, viendo lo que pasaba, dijo con voz
airada: **airada** angry
—Descortés caballero, parece mal tomarse con quien
no se puede defender; suba sobre su caballo y tome su
lanza— que también tenía una lanza arrimada a° la **arrimada a** leaned against
encina donde estaba arrendada° la yegua; —que yo le **arrendada** hitched
haré reconocer ser de cobardes lo que usted está ha-
ciendo.
El labrador, que vio sobre sí aquella figura llena de
armas blandiendo° la lanza sobre su rostro, se tuvo por **blandiendo** brandishing
muerto,° y con buenas palabras respondió: **se tuvo por muerto** gave himself up for dead
—Señor caballero, este muchacho que estoy casti-
gando es un criado que me sirve de guardar una mana- **manada** flock
da° de ovejas que tengo en estos contornos;° el cual es **contornos** vicinity
tan descuidado,° que cada día me falta una; y porque **descuidado** careless
castigo su descuido o bellaquería,° dice que lo hago de **bellaquería** knavery
miserable, por no pagarle la soldada° que le debo, pero **soldada** pay
él miente.° **miente** lies
—¿Miente delante de mí, ruin villano?— dijo don
Quijote. —Por el sol que nos alumbra que estoy por
pasarle a usted de parte en parte con esta lanza. Desáte-
lo° luego. **desátelo** untie him

El labrador bajó la cabeza y, sin responder una palabra, desató a su criado.

Don Quijote picó° a su Rocinante, y en breve espacio se apartó de ellos.   **picó** spurred

El labrador lo siguió con los ojos y cuando vio que había salido del bosque y ya no parecía, se volvió a su criado y le dijo:

—Ven acá, hijo mío, que te quiero pagar lo que te debo.

Y asiéndolo° del brazo, lo volvió a atar a la encina,   **asiéndolo** seizing him
donde le dio tantos azotes que lo dejó por muerto.

Preguntas

1. ¿A quién llamó «descortés caballero» don Quijote?
2. ¿Era caballero?
3. ¿Por qué no podía defenderse el muchacho?
4. ¿Dónde tenía el labrador su lanza?
5. ¿Por qué se tuvo por muerto el labrador?
6. ¿Es verdad que le respondió a don Quijote con buenas palabras?
7. ¿De qué servía de guardar el muchacho?
8. Según lo que dijo el labrador a don Quijote, ¿por qué castigaba a su criado?
9. ¿Qué le respondió don Quijote?
10. ¿Qué hizo el labrador?
11. Luego, ¿qué hizo don Quijote?
12. Cuando el labrador vio que don Quijote había salido del bosque, ¿qué dijo a su criado?
13. ¿Qué le dio?
14. ¿Cómo lo dejó?

El encuentro con los mercaderes

Habiendo andado como dos millas, don Quijote descubrió un gran tropel° de gente, que, como después se supo, eran unos mercaderes° toledanos que iban a comprar seda° a Murcia.   **tropel** crowd   **mercaderes** traders   **seda** silk

Eran seis, y venían con sus quitasoles,° con otros cuatro criados a caballo y tres mozos de mulas a pie.   **quitasoles** parasols

Apenas° los vio don Quijote, cuando se imaginó ser cosa de nueva aventura. Por imitar en todo cuanto a él le parecía posible los pasos que había leído en sus libros, le pareció venir allí de molde uno que pensaba hacer.   **apenas** hardly

Así, con gentil continente° y denuedo,° se afirmó bien en los estribos, apretó la lanza, llevó la adarga al   **continente** appearance   **denuedo** boldness pecho,° y, puesto en la mitad del camino, estuvo esperando que aquellos caballeros andantes llegasen, que ya él por tales los juzgaba.° Cuando llegaron a trecho° que lo pudieron ver y oír, don Quijote levantó la voz y con ademán° arrogante dijo:

—Todo el mundo se detenga, si todo el mundo no confiesa que no hay en el mundo todo doncella más hermosa que la emperatriz de la Mancha, la sin par° Dulcinea del Toboso.

Se pararon los mercaderes al son de estas razones, y al ver la extraña figura del que las decía, y por la figura y por las razones luego echaron de ver° la locura de su dueño; mas quisieron ver despacio en qué paraba aquella confesión que se les pedía, y uno de ellos, que era un poco burlón, y muy discreto, le dijo:

—Señor caballero, nosotros no conocemos quién sea esa buena señora que dice Ud.; muéstrenosla: que si ella fuera de tanta hermosura como significa, de muy buena gana confesaremos la verdad que Ud. nos pide.

pecho chest

juzgaba judged
trecho distance

ademán manner

sin par peerless

echaron de ver noticed

Preguntas

1. Después de andar como dos millas, ¿qué descubrió don Quijote?
2. ¿Adónde iban los mercaderes y por qué iban allá?
3. ¿Cuántos mercaderes había?
4. ¿Qué llevaban sobre la cabeza?
5. ¿Cómo venían los tres mozos de mulas?
6. Cuando don Quijote los vio, ¿qué se imaginó?
7. ¿Qué hizo con sus armas?
8. ¿Dónde se puso?
9. ¿Qué dijo a los mercaderes?
10. ¿Qué echaron de ver los mercaderes?
11. ¿Qué quisieron ver despacio?
12. ¿Qué respondió el mercader burlón a don Quijote?

De lo que le sucedió a don Quijote con los mercaderes

—Si se la mostrara— replicó don Quijote, —¿qué hicieran Uds. en confesar una verdad tan notoria?° La importancia está en que sin verla lo han de creer, confesar, afirmar, jurar° y defender; si no, conmigo son en batalla, gente descomunal° y soberbia.° Que ahora vengan uno a uno, como pide la orden de caballería, ahora todos juntos, como es costumbre y mala usanza

notoria evident, known

jurar to swear

descomunal uncommon
soberbia arrogant

de los de su ralea,° aquí los aguardo y espero, confiado — ralea breed
en° la razón que de mi parte tengo.

confiado en confident in

—Señor caballero— replicó el mercader, —suplico° a — suplico I beg
Ud., para que no encarguemos° nuestras conciencias — encarguemos burden
confesando una cosa por nosotros jamás vista ni oída,
que Ud. nos muestre un retrato° de esa señora; y — retrato portrait
aunque el retrato nos muestre que ella es fea, por
complacerlo° a Ud., diremos en su favor todo lo que — complacerlo to please you
Ud. quisiera.

—¡Uds. pagarán la gran blasfemia que han dicho
contra mi bella señora!— respondió don Quijote.

Y en decir esto, arremetió° con la lanza baja contra el — arremetió charged
que lo había dicho, con tanta furia y enojo, que si la
buena suerte no hiciera que en la mitad del camino
tropezara° y cayera Rocinante, lo pasara mal el atrevido — tropezara stumbled
mercader.

Rocinante cayó, y fue rodando° su amo por el campo; — rodando rolling
y queriéndose levantar, jamás pudo: tal embarazo° le — embarazo impediment
causaban la lanza, adarga, espuelas y celada, con el
peso° de las antiguas armas. — peso weight

Un mozo de mulas de los que allí venían, se llegó a él,
tomó la lanza y, después de haberla hecho pedazos,° — hechos pedazos broken to pieces
con uno de ellos comenzó a dar a nuestro don Quijote
muchísimos palos.° Deshizo° no sólo el primer pedazo — palos blows
sino todos los otros sobre el miserable caído. Con toda — deshizo he wore out
aquella tempestad° de palos, don Quijote no cerraba la — tempestad tempest
boca, amenazando° al cielo y a la tierra y a los malan- — amenazando threatening
drines,° que tal le parecían. — malandrines scoundrels

El mozo se canso, y los mercaderes siguieron su
camino.

Después de que don Quijote se vio solo, volvió a
probar si podía levantarse; pero si no lo pudo hacer
cuando sano y bueno, ¿cómo lo haría molido° y casi — molido flogged
deshecho?° — deshecho destroyed

Y aun se tenía por dichoso,° pareciéndole que aquélla — dichoso fortunate, lucky
era propia desgracia de caballeros andantes, y todo lo
atribuía a la falta de su caballo; y no era posible levantarse, según tenía abrumado° todo el cuerpo. — abrumado crushed

Preguntas

1. Según lo que don Quijote les dijo, ¿qué tenían que hacer los mercaderes?
2. ¿Cómo quería nuestro caballero andante que ellos entraran en batalla con él, uno a uno, o todos juntos?
3. ¿Quién quiso ver un retrato de la señora?
4. ¿Le mostró don Quijote un retrato de ella?

20

5. ¿Contra quién arremetió con la lanza?
6. ¿Qué hizo Rocinante?
7. ¿Por qué no pudo levantarse don Quijote?
8. ¿Quién hizo pedazos de la lanza de don Quijote?
9. ¿Qué hizo con los pedazos?
10. ¿A quiénes amenazó don Quijote?
11. ¿Cuándo siguieron su camino los mercaderes?
12. ¿Qué volvió a probar el caballero andante?
13. ¿Por qué se tenía por dichoso?
14. ¿Qué tenía abrumado?

CAPITULO V

Como un labrador salvó a nuestro hidalgo

Quiso la suerte que acertó a pasar por allí un labrador de su mismo lugar y vecino° suyo, que venía de llevar una carga de trigo° al molino.°

El labrador, viendo a aquel hombre allí tendido,° se llegó a él y le preguntó quién era y qué mal sentía.

Don Quijote le contestó recitando un romance.

El labrador estaba admirado oyendo aquellos disparates,° y quitándole la visera que ya estaba hecha pedazos, de los palos, le limpió el rostro, que lo tenía cubierto de polvo,° y apenas lo hubo limpiado, cuando lo reconoció y le dijo:

—Señor Quijada— que así se llamaba don Quijote cuando tenía juicio y no había pasado de hidalgo sosegado° a caballero andante, —¿quién ha puesto a Ud. de esta suerte?

Pero él seguía con su romance a cuanto le preguntaba.

Viendo esto, el buen hombre, lo mejor que pudo, le quitó el peto y espaldar, para ver si tenía alguna herida,° pero no vio sangre° ni señal alguna.

Procuró° levantarlo del suelo, y no con poco trabajo lo subió sobre su jumento,° por parecer caballería más sosegada.

vecino neighbor
trigo wheat
molino mill
tendido stretched out

disparates absurdities

polvo dust

sosegado peaceful

herida wound
sangre blood
procuró he tried
jumento donkey

23

El labrador recogió° las armas, hasta las astillas° de la lanza, las ligó° sobre Rocinante, al cual tomó de la rienda, y del cabestro° al asno, y se encaminó hacia su pueblo.

recogió gathered
astillas pieces
ligó tied
cabestro halter

Llegaron al pueblo a la hora que anochecía; pero el labrador aguardó a que fuese algo más de noche, para que nadie viese al molido hidalgo.

Preguntas

1. ¿Quién pasó por allí?
2. ¿De dónde venía el labrador?
3. ¿Qué le preguntó a don Quijote?
4. ¿Cómo le contestó don Quijote?
5. ¿Qué le quitó el labrador a don Quijote?
6. ¿Qué le limpió?
7. ¿Cómo se llamaba don Quijote cuando tenía juicio?
8. ¿Qué contestó al labrador cuando éste le preguntó quién le había puesto de esta suerte?
9. ¿Qué hizo el labrador para ver si don Quijote tenía alguna herida?
10. ¿Vio sangre o herida?
11. ¿Sobre qué lo subió a don Quijote?
12. ¿Dónde ligó las armas?
13. ¿Adónde se encaminó?
14. ¿Cuándo llegaron al pueblo?
15. ¿Por qué aguardó el labrador a que fuese algo más de noche?

La vuelta de don Quijote a casa

Llegada, pues, la hora que le pareció, entró en el pueblo, y en casa de don Quijote, la cual halló toda alborotada;° y estaban en ella el cura° y el barbero del lugar, que eran grandes amigos de don Quijote, a quienes estaba diciéndoles su ama a voces:

alborotada in an uproar
excited
cura priest

—¿Qué le parece a Ud., señor licenciado° Pero Pérez— que así se llamaba el cura, —de la desgracia de mi señor? Tres días hace que no parecen él, ni el rocín, ni la adarga, ni la lanza, ni las armas. ¡Desventurada de mí que me doy a entender que estos malditos libros de caballerías que él tiene y suele° leer tan de ordinario le han vuelto el juicio.

licenciado licentiate

suele has the habit

La sobrina decía lo mismo, y aun decía más: que los libros debían de ser quemados.°

quemados burned

—Esto digo yo también— dijo el cura; —y a fe° que no se pase el día de mañana sin que de ellos no se haga auto público, y sean condenados al fuego,° para que no den ocasión a quien los lea de hacer lo que mi buen amigo ha hecho.

a fe in faith

fuego fire

El labrador y don Quijote estaban oyendo todo esto, con que acabó el labrador de entender la enfermedad de su vecino.

El labrador llamó a voces y todos salieron de la casa. Don Quijote les dijo:

—Vengo mal herido, por la culpa de mi caballo. Llévenme a mi lecho, llámese a la sabia Urganda para que cure mis heridas.

Lo llevaron a la cama y buscaron las heridas, pero no hallaron ninguna. El dijo que todo era molimiento,° por haber sufrido una gran caída con Rocinante, su caballo, combatiéndose con diez jayanes,° los más desaforados° y atrevidos° que se pudieran hallar en gran parte de la tierra.

molimiento bruises

jayanes robust men
desaforados lawless

atrevidos daring

Le hicieron a don Quijote mil preguntas, y a ninguna quiso responder otra cosa sino que le diesen de comer y lo dejasen dormir, que era lo que más le importaba. Se hizo así, y el cura se informó muy a la larga° del labrador del modo que había hallado a don Quijote.

a la larga at length

El labrador se lo contó todo, con los disparates que al hallarlo había dicho, que fue poner más deseo en el cura de hacer lo que otro día hizo, que fue llamar a su amigo el barbero maestro Nicolás, con el cual se vino a casa de don Quijote.

Preguntas

1. ¿Cómo se llamaba el cura?
2. ¿Cuánto tiempo hacía que don Quijote y su rocín y armas estaban ausentes de su casa?
3. ¿Cómo había perdido su juicio el hidalgo?
4. ¿Qué decía la sobrina?
5. ¿Por qué quería el cura quemar los libros de don Quijote?
6. ¿Cómo acabó el labrador de entender la enfermedad de su vecino?
7. ¿Quiénes salieron de la casa cuando el labrador llamó a voces?
8. ¿Qué les dijo don Quijote?
9. ¿Adónde lo llevaron?
10. ¿Hallaron heridas en él?
11. ¿De qué manera les explicó don Quijote su molimiento?
12. ¿Cómo respondió don Quijote a las mil preguntas que le hicieron?
13. ¿Qué contó el labrador al cura?
14. ¿Cómo se llamaba el barbero?
15. ¿Quiénes vinieron a la casa al día siguiente?

CAPITULO VI

Del gran escrutinio que el cura y el barbero hicieron en la librería de don Quijote

Cuando el cura y el barbero volvieron a la mañana siguiente a la casa de don Quijote, éste dormía aún.

El cura pidió a la sobrina las llaves° del aposento donde estaban los libros autores del daño,° y ella se las dio de muy buena gana.°

Entraron dentro todos, y el ama con ellos, y hallaron más de cien libros grandes, muy bien encuadernados,° y otros pequeños.

Y así como el ama los vio, salió del aposento con gran prisa, y volvió luego con una escudilla° de agua bendita° y un hisopo,° y dijo:

—Tome, señor licenciado; rocíe° este aposento, no esté aquí algún encantador de los muchos que tienen estos libros, y nos encanten.

La simplicidad del ama causó risa al licenciado, y mandó al barbero que le fuese dando de aquellos libros uno a uno, para ver de qué trataban y si podía hallar algunos que no mereciesen castigo de fuego.

llaves keys
daño damage
de buena gana willingly
encuadernados bound
escudilla large cup
bendita holy, blessed
hisopo sprinkler (for holy water)
rocíe sprinkle

26

—No— dijo la sobrina, —no hay para qué perdonar a ninguno, porque todos han sido los dañadores.° Será mejor arrojarlos° por las ventanas al patio, y hacer un rimero° de ellos y pegarles fuego:° y si no, llevarlos al corral, y allí se hará la hoguera,° y no ofenderá el humo.°

El ama dijo lo mismo: tal era la gana que las dos tenían de la muerte de aquellos inocentes; mas el cura no vino en ello sin primero leer siquiera los títulos.

dañadores offenders
arrojarlos to throw them
rimero pile
pegarles fuego to set fire to them
hoguera bonfire
humo smoke

Preguntas

1. ¿Quién dormía aún cuando el cura y el barbero volvieron a la mañana siguiente a la casa de don Quijote?
2. ¿Qué pidió el cura a la sobrina?
3. ¿Cómo se las dio ella?
4. ¿Quiénes entraron en el aposento donde estaban los libros?
5. Describa los libros.
6. ¿Qué llevó el ama al aposento?
7. ¿Qué dijo al cura?
8. ¿Qué le causó risa al cura?
9. ¿Qué le mandó el cura al barbero?
10. ¿Quiénes querían quemar todos los libros?
11. ¿Quería quemarlos todos el cura?
12. ¿Dónde iban a quemar los libros?

Quemaron los libros de nuestro hidalgo

El barbero le dio al cura los libros uno a uno. Este, a la vez, entregó° todos los de caballerías con la excepción de *Los cuatro de Amadís de Gaula,* a las dos mujeres, que los tiraron por la ventana abajo al corral. El cura guardó *Amadís de Gaula* por ser la mejor de las novelas de caballerías. También guardó los mejores libros que no trataban de la caballería.

entregó gave

(Por supuesto,° Cervantes empleó este método interesante para criticar las obras literarias del Siglo de Oro de España.)

por supuesto of course

Estando en esto, don Quijote se despertó y comenzó a dar voces.

Por acudir a este ruido, no se pasó adelante con el escrutinio° de los demás libros que quedaban; y así, se cree que fueron al fuego, sin ser vistos.

escrutinio scrutiny

Cuando llegaron a don Quijote, ya él estaba levantado de la cama, y proseguía en sus voces y en sus desatinos,° dando cuchilladas° y reveses° por todas partes.

desatinos wildness
cuchilladas thrusts
reveses counterthrusts

27

Por fuerza lo volvieron al lecho; y después de que se hubo sosegado° un poco, pasó un rato hablando con el cura.

Entonces le dieron de comer, y él se quedó otra vez dormido, y ellos, admirados° de su locura.

Aquella noche el ama quemó cuantos libros que había en el corral y en toda la casa, y tales debieron de arder° que merecían guardarse en perpetuos archivos; y así, se cumplió el refrán en ellos de que pagan a las veces justos por pecadores.°

sosegado   quieted down

admirados   astonished

arder   to burn

pecadores   sinners

Preguntas

1. ¿Qué hizo el barbero?
2. ¿A quiénes entregó el cura los libros de caballerías?
3. ¿Cuál fue la excepción?
4. ¿Por qué?
5. ¿Qué hicieron las mujeres con los libros?
6. ¿Qué otros libros guardó el cura?
7. ¿Qué criticó por este método Cervantes?
8. Estando en esto, ¿qué hizo don Quijote?
9. ¿Por qué no se pasó adelante con el escrutinio de los libros?
10. ¿Qué estaba haciendo don Quijote cuando llegaron a él?
11. ¿Cómo lo volvieron a su cama?
12. ¿Qué hizo luego don Quijote?
13. ¿Cómo se quedó después de comer?
14. ¿De qué quedaron admirados ellos?
15. ¿Qué libros quemó el ama aquella noche?
16. ¿Qué refrán se cumplió en ellos?

CAPITULO VII

Don Quijote obtuvo un escudero

Uno de los remedios que el cura y el barbero dieron
para el mal de su amigo, fue que le murasen° y tapia- **murasen** walled up
sen° el aposento de los libros, y que le dijesen que un **tapiasen** sealed
encantador° se había llevado el aposento y todo; así fue **encantador** sorcerer
hecho con mucha presteza.° **presteza** hurry, quickness

Don Quijote creyó lo que le dijeron y estuvo quince
días en casa muy sosegado.

En este tiempo don Quijote solicitó a un labrador
vecino suyo, hombre de bien (si es que este título se
puede dar al que es pobre), pero de muy poca sal en la
mollera.° Tanto le dijo, tanto le persuadió y prometió, **de ... mollera** of very little
que el pobre villano° se determinó a salirse con él y **intelligence**
servirle de escudero. **villano** peasant

Entre otras cosas don Quijote le decía que se dispu-
siese° a ir con él de buena gana, porque tal vez le podía **se dispusiese** should be
suceder aventura que ganase alguna ínsula,° y le dejase **disposed**
a él por gobernador de ella. Con estas promesas y otras **ínsula** island
tales, Sancho Panza, que así se llamaba el labrador, dejó
a su mujer e hijos y asentó° por escudero de su vecino. **asentó** agreed to become

Don Quijote dio luego orden de buscar dineros, y

vendiendo una cosa, y empeñando ° otra, llegó a una razonable cantidad.

empeñando pawning

Avisó ° a su escudero Sancho del día y la hora que pensaba ponerse en camino, para que él se acomodase de lo que era menester; sobre todo, le aconsejó que llevase alforjas. °

avisó he notified

alforjas saddlebags

Sancho dijo que sí las llevaría y que también llevaría un asno muy bueno que tenía, porque él no estaba ducho° de andar mucho a pie.

ducho dexterous

Don Quijote también se proveyó ° de camisas y de las demás cosas que pudo, conforme al ° consejo que el ventero le había dado.

se proveyó provided himself with

conforme a according to

Preguntas

1. ¿Qué muraron y tapiaron?
2. ¿Para qué lo hicieron?
3. ¿Qué le dijeron a don Quijote?
4. ¿Lo creyó él?
5. En este tiempo, ¿a quién solicitó don Quijote?
6. ¿Cómo se llamaba el labrador?
7. ¿Era muy inteligente?
8. ¿Era rico o pobre?
9. ¿Qué familia tenía?
10. ¿Por qué se determinó a salirse con don Quijote y servirle de escudero?
11. ¿Cómo consiguieron dineros don Quijote y Sancho Panza?
12. ¿Cuál de los dos iba a llevar alforjas?
13. ¿Por qué iba Sancho a llevar su asno?
14. ¿De qué se proveyó don Quijote?

La aventura de los molinos de viento

Hechos todos los preparativos, sin despedirse Sancho Panza de sus hijos y mujer, ni don Quijote de su ama y sobrina, una noche se salieron del lugar sin que persona los viese; en la cual caminaron tanto, que al amanecer° se tuvieron por seguros ° de que no los hallarían aunque los buscasen.

amanecer dawn

se tuvieron por seguros they felt sure

Descubrieron treinta o cuarenta molinos de viento° que hay en aquel campo.

molinos de viento windmills

—Amigo Sancho— dijo don Quijote, —allí hay treinta o más gigantes, con quienes pienso hacer batalla y quitarles° a todos la vida.

quitarles to take away from them

—¿Qué gigantes?— dijo Sancho Panza.

—Aquéllos que allí ves— respondió su amo.

—Mire Ud.— respondió Sancho, —que aquéllos no son gigantes, sino molinos de viento.

—Bien parece— respondió don Quijote, —que no estás cursado° en esto de las aventuras: ellos son gigantes; y si tienes miedo, quítate° de allí, y ponte en oración en el espacio que yo voy a entrar con ellos en fiera° y desigual batalla.

Y diciendo esto, dio de espuelas a su caballo Rocinante, sin atender° a las voces que su escudero le daba que eran molinos de viento, y no gigantes, aquéllos que iba a acometer.°

Bien cubierto de su rodela,° con la lanza en el ristre° don Quijote arremetió° a todo galope de Rocinante y embistió° con el primer molino que estaba delante; y dándole una lanzada en el aspa,° la volvió el viento con tanta furia, que hizo la lanza pedazos, llevándose tras sí al caballo y al caballero, que fue rodando° muy maltrecho° por el campo.

Sancho Panza le ayudó a subir sobre Rocinante y fueron en busca de más aventuras.

cursado versed

quítate go away

fiera fierce

atender to heed

acometer to attack

rodela shield
ristre socket, lancerest
arremetió charged
embistió entangled
aspa sails (of a windmill)

rodando rolling
maltrecho battered

Preguntas

1. ¿Cuándo se salieron del lugar?
2. ¿Se despidió Sancho Panza de sus hijos y mujer?
3. ¿Se despidió don Quijote de su ama y sobrina?
4. Al amanecer, ¿de qué se tuvieron por seguros?
5. ¿Qué descubrieron?
6. Cuando vieron los molinos de viento, ¿qué dijo don Quijote a Sancho?
7. ¿Dijo Sancho que eran gigantes?
8. ¿Creyó don Quijote que Sancho tenía miedo?
9. ¿A qué dio de espuelas don Quijote?
10. ¿Qué voces le daba su escudero?
11. ¿Cómo llevaba don Quijote su rodela y su lanza?
12. ¿Con qué molino embistió?
13. ¿En qué parte le dio una lanzada?
14. En esto, ¿qué hizo el viento?
15. ¿Qué resultó?
16. ¿Qué le ayudó Sancho Panza a hacer?
17. ¿Adónde fueron los dos?

VOCABULARY

The Master Spanish-English Vocabulary presented here represents the vocabulary as it is used in the context of this book.

The nouns are given in their singular form followed by their definite article only if they do not end in **-o** or **-a.** Adjectives are presented in their masculine singular form followed by **-a.** The verbs are given in their infinitive form followed by the reflexive pronoun **-se** if it is required, by the stem-change **(ie), (ue), (i),** by the orthographic change **(c), (zc),** by **IR** to indicate an irregular verb and by the preposition which follows the infinitive.

A

abrazar (c) to embrace, hug
abreviar to abbreviate, shorten
abrumar to crush, overwhelm
acabar de to finish, have just
acertar a (ie) to happen to
acometer to attack, assault
acomodarse de to arrange for
acordarse de (ue) to remember, recall
acrecentar to increase
acudir a to go to, towards
adarga shield
ademán, el gesture, attitude
afición, la affection, fondess, love
agravio insult, affront, offense
airado, -a angry, furious
alba, el dawn
alborotar to disturb, agitate
alcaide, el governor of a castle
aldea village
alforja saddlebag
alimento food
alma, el soul
alumbrar to light, illuminate
alzar (c) to raise
ama housekeeper
amenazar a (c) to threaten
anochecer, el dusk, nightfall
antojarse to desire earnestly, fancy
añadir to add
apartarse de to withdraw from
apear to alight, dismount
aposento room, lodging
apretar (ie) to squeeze
arder to burn
armazón, la knighting
arremeter a to spur
arremeter con to attack
arrendar (ie) to tie (a horse)
arreo dress, ornamentation

arriero muleteer
arrimar a to lean against
arrojar to throw
asaltar to assail, assault, occur suddenly
asentar (ie) to place, fix, secure
asir to seize, grasp
aspa, el (f.) sail of a windmill
atar to tie
atender a (ie) to pay attention to
atrevimiento daring, boldness
aumento increase
avadar to become fordable
avisar to let know, notify
azote, el whip, lash with a whip

B

bacalao codfish
barrunto guess, conjecture
bastar to be enough, sufficient
bellaquería knavery, roguery
bisabuelo great-grandparent
blanca old copper coin
blandir to brandish, flourish
bosque, el forest
burla antic, joke

C

caballería chivalry, knighthood
caballeriza stable
caballero knight, nobleman, gentleman
  caballero andante knight-errant
cabestro halter
cabo end, tip
  al cabo finally

calzar (c) to put on
campo field
cansarse to get tired
caña cane
capilla chapel
cartón, el cardboard
castigar to punish
caza hunting
cebada barley
celada helmet
cena dinner, meal
ceñir (i) to gird, fasten
cinta ribbon
cocer (zc) (ue) to cook
complacer (zc)· to please, humor
comportar to suffer, tolerate
confiar en to trust
conforme a consistent with, according
  to
consejo advice
continente, el countenance, air
contornos surroundings, environs
convenible convenient, appropriate
cuchillada cut or slash with a knife
cuello neck
culpa fault
cumplir to fulfill, comply with
cura, el priest
cursar to study, devote onself to

CH

choza hut, lodge, cabin

D

dama lady
dañar to hurt, harm
dar (IR) to give
  dar de espuelas to spur
  dar parte a to report, acquaint
  dar voces to shout
darse a (IR) to devote onself to
darse prisa (IR) to hurry, hasten
denuedo boldness, audacity
derribar to demolish, tear down
desaforado, -a disorderly, outrageous
desarmar to disarm
desatar to untie
desatino folly, silliness, nonsense
descanso rest
descomunal uncommon
descortés discourteous
descuido carelessness
desgracia disgrace, misfortune
deshacer (IR) to undo
desigual unequal

desnudo, -a nude, bare
detenerse (IR) to stop
diente, el tooth
disculparse de to apologize for
disparate, el crazy idea, foolish remark
doncella maiden
ducho, -a expert, skilful
dueño master, owner

E

echar to pour
edad, la age
ejercitarse to exercise, put into practice
embarazo embarrassment
embestir (i) to attack, rush against
empeñar to pawn, pledge
enamorarse de to fall in love with
encargar to put in charge, burden
encerrar (ie) to lock, shut up
encina oak tree
encuadernado, -a bound
enfermedad, la sickness, illness
engañarse to deceive, cheat
enjuto, -a lean, skinny
enojo anger
ensillar to saddle, harness
entregar to hand over, deliver
escrutinio scrutiny
escudero squire
escudilla bowl, large cup
escuro, -a dark, obscure
espaldar, el backplate
espaldarazo slap, blow on the back
espuela spur
estribo stirrup
extraño, -a strange

F

fiero, -a fierce, wild
flaco, -a thin
frisar con to border on
fuego fire
fuera de outside

G

gana desire, inclination
gastar to spend, waste
género kind, class
golpe, el blow, knock
guardarse to save, keep
guiar to guide

33

H

hacer (IR) to do, make
  hacer pedazos to tear into pieces
hacerse (IR) to become
herir (ie) to wound
hidalgo gentleman
hierro iron
hincarse de (qu) to kneel down
hisopo hyssop, sprinkler for holy water
hoguera bonfire
hoja leaf
huésped, el guest, host
humo smoke

I

ínsula island

J

juicio judgement, sense
jumento donkey
juzgar to judge

L

labradora peasant, laborer
lecho bed
ley, la law
licenciado licentiate
lid, la combat, fight
ligar to tie
limpiar to clean
linaje, el lineage, race
locura madness, insanity
lugar, el place

LL

llave, la key
lleno de full of
llover (ue) to rain

M

madrugador, el early riser
malandrín, el scoundrel, rascal
maltrecho, -a battered, abused, in bad condition

manada flock
manida den, haunt
medroso, -a fearful, timid
menesteroso needy person
mentir (ie, i) to lie
mercader, el merchant, dealer
merecer (zc) to deserve
mitad, la half
moler (ue) to wear out or down
molimiento fatigue, weariness
molino mill
mollera brains, sense
mudanza change
mugriento, -a dirty, greasy

N

novel, el novice
nudo knot
de nuevo again

O

ocioso, -a idle, lazy
oficio job, office
oración, la player
orilla shore
oveja sheep

P

paja straw
palo blow
pararse to stop
parecer, el opinion
pecador, el sinner
pecho chest
pegar fuego to set on fire
pelear to fight
peña rock
peso weight
peto breastplate
picar (qu) to spur
pieza piece
pila trough
polvo dust
posada lodging
pozo well
presteza quickness
pretina belt
procurar to try
en pro de on behalf of
proeza prowess, stunt
proveerse de to provide onself with

Q

quejarse to complain
quemar to burn
quitar to take off
quitasol, el parasol, sunshade

R

ralea breed, kind
recio, -a strong, vigorous
recua herd
rematar to finish, terminate
remojar to soak
reparar to mend, repair
repararse con to defend, guard oneself with
restar to be left, remain
retrato portrait, picture
reventarse de risa to burst out laughing
rezar (c) to pray
rienda rein
rimero heap, pile
ristre, el socket (for a lance)
rocín, el nag, workhorse
rodar (ue) to roll
rodela buckler, shield
rodilla knee
rostro face

S

sangre, la blood
a secas merely, simply
seco, -a lean, lank
seda silk
señal, la sign, mark
ser menester (IR) to be necessary
sierra mountain range
sin par peerless, matchless
soberbio, -a haughty, arrogant
sobrenombre, el surname, nickname
sobrina niece
socarrón, -a cunning, sly
soldada pay, wages, salary
soler (ue) to be used or accustomed to
soltar to let go of
sonoro, -a loud
sosegado, -a calm, quiet, pacific

subir to get on
suelo ground, floor
suplicar (qu) to implore, entreat

T

talle, el figure, stature
tapar to cover, plug up
tempestad, la storm, tempest
tender (ie) to stretch out
tener (IR) to have
    tener a raya to keep at bay, be restrained
    tener la risa to keep from laughing
tirar to throw
titubear to hesitate
tomarse to take on
toparse to run across, encounter
trecho distance, space
trigo wheat
tropel, el crowd, group
tropezar (c) to stumble, trip

U

usanza use, useage

V

valioso, -a valuable
vecino neighbor
vela candle
velar to watch, keep watch over
venir (IR) to come
    venir de molde to be just right
venta inn
ventero innkeeper
viento wind
vil mean, vile, base
villano peasant

Y

yegua mare